Calixto Navarro, An~~~~~~~~~~~~~~~~~~~~~~.~o Hernandez,
Eduardo Abuin

¡Pobres madres!

Calixto Navarro, Angel Rubio, Isidoro Hernandez, Eduardo Abuin

¡Pobres madres!

Reimpresión del original, primera publicación en 1878.

1ª edición 2024 | ISBN: 978-3-36804-964-5

Verlag (Editorial): Outlook Verlag GmbH, Zeilweg 44, 60439 Frankfurt, Deutschland
Vertretungsberechtigt (Representante autorizado): E. Roepke, Zeilweg 44, 60439 Frankfurt, Deutschland
Druck (Imprenta): Books on Demand GmbH, In de Tarpen 42, 22848 Norderstedt, Deutschland

ADMINISTRACION
LÍRICO-DRAMÁTICA.

¡POBRES MADRES!

ZARZUELA EN DOS ACTOS Y EN VERSO

ORIGINAL DE LOS SEÑORES

DON CALISTO NAVARRO

DON EDUARDO ABUIN

MUSICA DE LOS MAESTROS

D. ISIDORO HERNANDEZ Y D. ANGEL RUBIO.

Estrenada con extraordinario éxito, la noche del 6 de Abril de 1878, en el
Teatro de Eslava de Madrid.

MADRID·
CALLE DE SEVILLA, 14, PRINCIPAL.
1878.

¡POBRES MADRES!

ZARZUELA EN DOS ACTOS Y EN VERSO

ORIGINAL DE LOS SEÑORES

DON ~~CALISTO~~ NAVARRO

Y

DON EDUARDO ABUIN

MUSICA DE LOS MAESTROS

D. ISIDORO HERNANDEZ Y D. ANGEL RUBIO.

Estrenada con extraordinario éxito, la noche del 6 de Abril de 1878, en el Teatro de Eslava de Madrid.

MADRID

ESTABLECIMIENTO TIPOGRÁFICO
de los Sres. J. C. Conde y Compañía, Caños, 1
1878.

PERSONAJES.	ACTORES.
MARÍA.	{ Srta. Doña Juana Pastor. { Sra. Doña Gabriela Roca.
ANDREA.	Sra. Doña Antonia Garcia.
LA SEÑÁ BLASA.	Sra. Doña Manuela Cubas.
UNA CHULA.	Sra. Doña Magdalena Martinez.
PABLO.	Sr. D. Francisco de P. Monti.
RUIZ.	Sr. D. Rafael Sanchez.
ANTONIO.	Sr. D. Hermenegildo Galle.
DON PEDRO.	Sr. D. Francisco Povedano.
UN CIEGO.	Sr. D. Antonio Diaz.
UN OFICIAL.	Sr. D. Arturo Ventosa.
UN QUINTO.	Sr. D. Andrés Polin.

SOLDADOS, NIÑERAS, CRIADAS, VENDEDORAS, QUINTOS Y GENTE DEL
PUEBLO.

La escena pasa en Madrid.—Epoca actual.

Para la música dirigirse á D. Angel Povedano, calle de La-
vapiés, 34, segundo derecha.

ACTO PRIMERO.

Vsta de la plaza Mayor tomada desde el arco de la calle de Toledo,
y figurando la embocadura dicho arco.

ESCENA PRIMERA.

SOLDADOS, NIÑERAS, CRIADAS Y GENTE DEL PUEBLO:
luego ANDREA

MÚSICA.

Esta plaza es la delicia
de la gente de cuartel,
y niñeras y criadas
aquí bullen en tropel.
Por do quiera se contempla
alegría y confusion,
y el Titilimundi forma
su más grata diversion.
Aquí en Noche-buena
se venden turrones,
aquí en la verbena
se viene á gozar,
y pasa el relevo,
y en mil ocasiones
ha sido esta plaza
temible lugar.

Viva, viva la gente
de la Plaza Mayor,
que no la hay en el orbe
más alegre y mejor.

HABLADO.

ANDREA.   Nada, las cuatro y no viene.
Malditas sean las penas...
¡Y que por ese arrastrao
pase las fatigas estas!
Desde las tres, que me dijo
que vendria, he dao cien vueltas
por la Plaza, y que si quieres;
el hombre no se presenta.
Se habrá entretenio, y claro...
No, pues lo que es cuando venga...

ESCENA II.

DICHA y RUIZ.

RUIZ.   ¡Ola, mujer!
ANDREA.   ¿Qué horas tienes
de venir?
                        Pus no se queja
entadía la arrastrá?
ANDREA.   Si te parece...
RUIZ.   Canela!
¡Pero tú qué te has pensao!
¿que vas á darme jaqueca
todos los dias?
ANDREA.   Ambrosio!
RUIZ.   Si éstoy dende la una y media
buscándote por la Plasa
asin, con la lengua fuera!
ANDREA.   Dí que te has entretenio
y se acabó la pendencia.
RUIZ.   ¿Y por qué quiés que lo diga,

si no es verdad! La Josefa
me ha visto frente á la caye
de Zudia Rodrigo, y ella
puede decirte...

ANDREA.   Ya estaba
yo con la mosca en la oreja.
Mucho Josefeas tú!

RUIZ.   ¿Qué palabrillas son esas?
Oye tú, á mí no me faltes
por dengun estilo, Andrea!
Yo soy mú formal, mú hombre
y mú barbian. ¿Tú te enteras?
Si cierto dia te dije
toda aquella cantinela,
y te empeñé mi palabra
de verte, cuando pudieras
hacer una escapatoria,
al ir por jabon ú velas,
te lo dije, y está dicho,
y no fué bulo, y aqueya
personita de aquel dia,
es esta persona mesma.
Conque ya sabes que á mí,
no hay que tocarme retreta.

ANDREA.   No me lo digas tan sério.

RUIZ.   ¡Pus hombre estaria güena!
¡Faltarte yo á tí? De dónde,
ni por qué?

ANDREA.   ¡Hombre, dispensa!
¡Cualquiera se dequivoca!

RUIZ.   ¿Y cuándo? Cuando la pena,
me tiene ahogao er gañote,
que ni respirar me deja.

ANDREA.   ¿Pues qué te sucede?

RUIZ.   Nada,
¿qué quieres que me suceda?
¡Que me mandan á Ultramar!

ANDREA.   ¿Cómo á Ultramar?

RUIZ.   ¡Friolera!
¡Y que esta tarde mus vamos!

ANDREA.   ¿Con que es decir que me dejas?

RUIZ.   ¡Digo, como no deserte!

ANDREA.	¿Y por qué no te desertas?
RUIZ.	¿Y que me dén cuatro tiros?
	¡Vaya un cariñazo, prenda!
ANDREA.	Y Ultramar, ¿está muy lejos?
RUIZ.	¡Como quien dice á la güerta!

Tú te acuerdas el domingo
aquel, que fuiste á la venta
conmigo, y hablando hablando,
llegamos junto á la huerta?

ANDREA. Sí.

RUIZ.   Pus güeno; está Ultramar...
así como unas cuarenta
veces, más léjos!

ANDREA.   ¡Dios mio!
¿Y vais á pié? ·

RUIZ.   ¡Qué; babieca!
Vamos en tren hasta Cádis,
y dende allí, hasta la mesma
Habana, vamos metíos
en un cajon de maera.

ANDREA. ¿Y qué os dan por ir tan léjos?

RUIZ. A más de dos, la lisensia
pa el otro barrio, y por poco
un chirlo ó una cojera!

ANDREA. Pues no vayas!

RUIZ.   Yo ya he dicho,
que no queria mi abuela;
pero en las cosas de tropa,
la Ordenansa es mú severa,
y le dan á uno en un verbo
cuatro palos que lo brean.

ANDREA. Las cinco, y salí de casa
por hilo, á las dos y media...

RUIZ. Pus mira, que por el hilo
van á sacar la maeja.

ANDREA. Yo haré por salir más tarde.

RUIZ. De paso, á ver si te acuerdas
de traerte la camisa
que te dí á lavar, y aqueyas
dos pesetas que me debes!

ANDREA. Cómo, que yo?...

RUIZ.   Ven á cuentas.

	¡No te pedí cuatro du ros?
ANDREA.	Sí.
RUIZ.	¿No me diste setenta
	y dos riales?
ANDREA.	Sí.
RUIZ.	Pus güeno;
	yo reconosco la deuda,
	y pa ser ochenta reales,
	me debes tú dos pesetas.
ANDREA.	Veré si tengo.
RUIZ.	Le pides
	al ama.
ANDREA.	Buena está ella!
RUIZ.	Bueno estoy yo!
ANDREA.	Adios, Ambrosio! (Váse.)
RUIZ.	Anda á la gloria... so fea!
	Tiene esta probe muchacha
	más toques que una corneta. (Váse.)

ESCENA III.

DON PEDRO y ANTONIO.

D. PEDRO.	Yo, por tu bien te lo digo!
ANTONIO.	Mas si mis padres se enteran...
D. PED.	¿Y á tus padres quién les manda
	cortarte así la carrera?
	A tí la aficion te tira
	á ser militar!
ANT.	Me pesa
	darles un disgusto, pero...
D. PED.	¿No habias sacado el treinta
	en el sorteo? ¿No estabas
	contento? ¿Por qué se mezclan
	en esos asuntos?
ANT.	Padre,
	en que trabaje se empeña,
	y á mí el trabajo... qué diablos!
	no me hace gracia!
D. PED.	Pues esa

es la razon principal
que debe inclinarte... Ea,
te doy los dos mil quiniëntos,
firmas aquí y cosa hecha.

ANT. Pero es el caso que Pablo!...
D. PED. Pablo!... Valiente babieca!
ANT. Vá en mi lugar!...
D. PED.   ¿Y qué importa?
Si vá, tal vez le convenga!

ANT. Como mi madre lloraba,
le dió al pobre tanta pena,
que se ofreció... y aunque al pronto
no consistieron...

D. PED.   ¡Pamemas!
Pablo se las hecha de héroe,
porque vé en lejanas tierras
su porvenir, y se cansa
ya del formon y la sierra.
Hoy los soldados, son reyes;
comen, beben, se pasean,
van bien vestidos...

ANT.   ¡Don Pedro!
D. PED. Vamos... ¿te animas?
ANT.   Me tienta
usted de un modo...

D. PED   ¡Tres mil
realitos!

ANT.   ¿Y si se niegan
mis padres?

D. PED.   ¡Nos pasaremos
sin ellos!

ANT.   ¿De qué manera?
D. PED. En vez de ser de Madrid,
serás hijo de Vallecas;
y en lugar de Antonio Lopez
te llamarás Luis Contreras;
tendrás padres que gustosos
en tu partida consientan,
y en paz.

ANT.   Padres mercenarios.!
D. PED. Bien, llámalos como quieras.
Con que, ¿conviene?

Ant.	¡Don Pedro!...
D. Ped.	Nada, no, no te hago fuerza;
	pero si yo fuera jóven...
	tal ocasion no perdiera
	de hacer fortuna!
Ant.	¡Indeciso
	me encuentro!
D. Ped.	¡Los tres mil!
Ant.	¡Vengan!
D. Ped.	¿Firmarás?
Ant.	¿Si es necesario?...
D. Ped.	Pues vamos á esta taberna.
	(¡Dos mil realitos de momio,
	me he ganado!)
Ant.	¡Madre!
D. Ped.	¡Entra!
	(Empujándole suavemente.)

ESCENA IV.

Coro de quintos, con guitarras y panderas.

MÚSICA.

JOTA.

Por balcones y ventanas
salid rubias y morenas,
que aquí van los pobres quintos
del distrito de la Audiencia.
No sabeis los sustos
que pasan los mozos,
mientras que la bola
se agita en el bombo;
risas por un lado,
lágrimas por otro,
y por fin de fiesta
cargar con el chopo.

Al ponerme el uniforme
si me encuentras en la calle,
no porque lleve otra ropa
te niegues á saludarme;
   que son los soldados
   cual todos lo saben,
   de la misma pasta
   que los militares.
Todos los soldados
los malos y buenos
de entre el pueblo salen
y vuelven al pueblo.

HABLADO.

ESCENA V.

DICHOS y PABLO.

UN QUINTO. !Tú de seguro dás algo!

PABLO. ¡No lo esperes!

QUINTO.   ¡Vamos, echa
dos reales!

PABLO.   Soy de los vuestros.

QUINTO. Soldado?

PABLO.   Sí.

QUINTO.   Te chanceas?

PABLO. Esta misma tarde, salgo
para Cuba!

QUINTO.   Esa es más negra!

PABLO. ¿Y vosotros?

QUINTO.   Nos quedamos!

PABLO. Pues que la suerte os proteja.

QUINTO. ¿Quieres echar una copa?
El vino mata las penas!

PABLO. No, la embriaguez envilece,
y apaga la inteligencia!

QUINTO. Tú te entenderás! Alante
muchachos, y duro... Venga. (Vanse tocando.)

ESCENA VI.

PABLO.

¡Cantan, y acaso la muerte,
guardada les esté en suerte
á la primera refriega!...
Quien al olvido se entrega,
para luchar es más fuerte!
Olvida, pues, corazon
la intranquila sensacion
que entre tus pliegues se esconde,
y á sus temores responde
con lo noble de tu accion!
De hoy más, si en gloriosa guerra,
bajo aquél clima que aterra
honrosa muerte me dan,
sé que por mí llorarán
dos séres en esta tierra.
La madre á quien dí consuelo,
rezará mal que le cuadre,
para premiar mi desvelo;
y los rezos de una madre
abren las puertas del cielo.
—No pienso en ello más, no,
que ya decidido estoy
y allí mi firma quedó.
Hijo sin madre soy yo!
hijo á una madre le doy. (Páusa corta)
Mañana al brillar el dia,
mis amigos, olvidado
habrán la memoria mia!
¡Quién se acuerda de un soldado!

ESCENA VII.

DICHO y MARÍA.

MARÍA.   El es!
PABLO.   Ah!
MARÍA.   Pablo!
PABLO.   María!

12

MÚSICA.

MARÍA.	¿Es cierto que partes?
PABLO.	Es cierto!
MARÍA.	Ay de mí!
	¿pretendes, acaso,
	hacerme morir?
PABLO.	Por tí solamente
	dudaba en marchar.
MARÍA.	Renuncia!
PABLO.	Imposible?
MARÍA.	Mi Pablo! (Suplicante)
PABLO.	Jamás!

Una madre sin consuelo
llanto acerbo derramaba,
porque al hijo contemplaba
ya cercano de partir.
Yo, calmando su desvelo,
ir por él he prometido,
y verá su afan cumplido
aunque sepa sucumbir.

MARÍA.   La muerte en suelo estraño
acaso á buscar vás,
sin ver que con tu ausencia
la muerte aquí me dás.

PABLO.   María!
MARÍA.   Esto es horrible!
PABLO.   No amengües mi valor,
Tu amor será mi egida.
MARÍA.   Desventurado amor!
PABLO.   Al cruzar el azúl elemento,
cumplir sólo intento
un santo deber.

y de guerra, á la fiera embestida,
mi sangre y mi vida
bien puedo perder.
Mas nunca olvidado
tu nombre ha de verse,
tu imágen en mi alma
grabada estará:
Si muero en la lucha

MARÍA.

cual bravo soldado,
en vano la muerte
borrarla querrá.
Tampoco olvidado
tu nombre ha de verse,
tu imágen en mi alma
grabada está ya:
si mueres en lucha
cual bravo soldado,
tu amante angustiada
tambien morirá.

HABLADO.

MARIA.   No, no Pablo, por favor!
Si no es mentido eso amor,
si no le has dado al ólvido,
renuncia, yo te lo pido!

PÁBLO.   Es imposible!

MARIA.   Oh! que horror!

PABLO.   Verte llorar no me estraña;
pero tras duelos prolijos,
la pátria en ruda campaña
demanda auxilio á sus hijos,
y yo soy hijo de España!
Con traidora terquedad,
destruir su integridad
pretenden ordas salvajes;
y al grito de libertad
cometen sus pandillajes:
y sufrir no pueden tanto
los que de libres blasonan,
que á ese grito sacrosanto,
siembren el luto y espanto
los que traicion no perdonan!

MARIA.   Pero yo, Pablo querido,
yo que á tu lado he crecido,
y que en la triste orfandad
me consoló tu amistad,
¿qué haré al mirarte perdido?
¿Qué me importan sus acciones?

¿Qué sé de esa gente fiera,
ni qué entiendo de traiciones
si la bala que te hiera
va á matar dos corazones?

PABLO.

María, tu afan insano
es egoista, mi mano,
por más que tu amor taladre,
seca el llanto de una madre,
vuelve la calma á un anciano!
Anciano y madre que un dia
al enseñarme un oficio,
y un bien que no conocia,
me arrebataron, María,
de entre las garras del vicio!
Y hoy que achacosos están,
si hay una ley de Satán
que á desgarrarles vá el alma,
¿cómo no darles la calma,
cuando ellos me han dado el pan?

MARÍA.

¡Ah Pablo¡ ¡Te compadezco,
y te admiro, y te aborrezco
al verte obrar de esa suerte!...
Me dá tu ausencia la muerte
y te vas... y lo agradezco!
Por que quien sabe cumplir
de esa manera un deber,
tambien sabrá antes morir
que olvidar á la mujer
que hizo su pecho latir.
Parte, sí, yo iré contigo.

PABLO.

¡Jamás! El plomo enemigo
diérame miedo á tu lado,
y debe siempre el soldado
de su valor sér testigo!
Padre jamás conocí;
niño, sin madre me ví,
y aunque es la honradez el hombre,
ni una fortuna ni un nombre
pudiera darte hoy aquí.
Deja que parta; la suerte
quizás ahuyente la muerte;
y encumbrado este artesano

	logre un dia con su mano
	nombre y riqueza ofrecerte.
MARÍA.	¿Y quién entre honrados pechos
	sabedor de tu heroismo,
	á exigir tendrá derechos,
	más riqueza que tus hechos,
	más nombre que el del bautismo?
	Aquel que honrándose empieza,
	puede elevar su cabeza,
	altiva, á suerte contraria,
	que dá la honradez nobleza
	mejor que la hereditaria!
	¿Cuándo partes?
PABLO.	A las siete!
MARIA.	Ay, Pablo!
PABLO.	Nada te inquiete!
MARIA.	Contigo hasta el tren iré,
	Pablo mio!
PABLO.	(Cariñoso.) Vamos, vete!
MARIA.	Adios! (Corazon ten fé!) (Váse.)
PABLO.	Cuán rápido el tiempo avanza,
	y cuál huye la esperanza
	del que vá á lanzarse al mar!
	ya mi deber es matar;
	mi criterio la Ordenanza! (Váse.)

ESCENA VIII.

CORO GENERAL y UN CIEGO.

VARIOS.	Que cante! que cante!
CIEGO.	Vamos!
	Si me ofreceis dar propina
	y comprar algunas cuantas,
	voy á cantar las coplillas
	de más sal y más pimienta
	que habeis oido en la vida;
	escritas por un cesante
	que reventó el otro dia,
	á consecuencia de haberse

fumado dos tagarninas;
coplas nuevas y picantes!
qué bonitas! qué bonitas!

MÚSICA.

Anteayer en la plazuela
te ví comprando un melon;
cara de *pepe* tenia
y *Pepe* me llamo yo.
No compres melones
que suelen ser malos,
y á mí esa hortaliza
me sirves á pasto.
Ah!
Catará... cataratas me salen
morenilla de tanto mirarte,
y murmuran y murmu... las gentes
que es andarse con paños calientes.

La mujer que mira á un hombre
y se la muda el color,
es que teme que le digan
cien mil cosas que no son.
Yo tuve una novia
que si me miraba,
se ponia triste
y á más, colorada.
Ah!
Con el zum... con el zumba que dale,
no le digas quien soy, á tu madre.
Arrempu... arrempuja la puerta
que ayer noche la he dejado abierta.

HABLADO.

VARIOS.   A ver, más coplas! más coplas!

ESCENA IX.

DICHOS y RUIZ.

RUIZ.	Demonio, qué algarabía!
	En oyendo una vigüela
	se desbordan estas chicas!
	Pues si fuérais á mi tierra
	y oyérais canela fina,
	os guillábais der sentío.
UNA.	¿De dónde será este lila?
RUIZ.	De dónde se bebe, en vez
	del agua, la manzanilla;
	de la tierra de la grasia
	y las mujeres bonitas.
	Donde se dá á un hombre un chirlo
	en ménos que sè persina...
	Y en fin, pa que tú te enteres
	y te recomas de envidia,
	y te mueras de viruelas...
	de la propia Andalusía!
UNA.	No es poco largo el romance.
VARIOS.	Que cante.
RUIZ.	Ya no se estila!
UNA.	Si es que se ha cortao el hombre!
RUIZ.	Oye tú, cara é serilla,
	yo no me corto, ni hay naide
	que me corte: ¿está osté, niña?
	Y pa que vean ustedes
	la sal de mi personilla,
	á ver, siego, dame el trasto
	que vais á pasar fatigas!

MÚSICA.

Tropesó en Cádi un hombre,
en Seviya se cayó,
hasta Madrí fué roando,
y Fransia se levantó.

2

Prenda de mi corazon
cuida tú, morena mia,
no pegar un tropeson.

Si el quererte fuera un dia,
una semaniya ú dos,
pero por toda la via
eso no lo quiero yo.
   Prenda de mi corazon, etc.

Bailo yo el sapateao
con muchisimo primor.
Ole y ole, viva el rumbo
de un flamenco como yo.

CORO.

Ole, y ole, etc.

HABLADO.

UNA.   Bien por el soldado!
RUIZ.   Grasias!
     Y si te gusta, chiquiya,
     cuando tú tengas un rato,
     te daré una lesionsita.
UNA.   Quiá!... ni el olor!
RUIZ.   Pus nagensia,
     que se me turba la vista,
     y á mí cuando se me turba
     es que tocan á fagina.
VARIAS.   Ay qué miedo!
UNA.   Cuánto muerto! (Vánse.)
RUIZ.   Como haga yo de las mias...
     pero no... que ar fin y ar cabo,
     pertenesco á la melisia,
     y disen que lo valiente
     á lo cortés nunca quita.

ESCENA X.

DICHO Y ANDREA.

ANDREA.   Ambrosio, ya estoy de vuelta.
Aquí tienes la camisa,
una petaca del amo,
diez reales, dos cajetillas,
tres pañuelos de algodon,
y uno fino de batista.
RUIZ.   Todos del ama?
ANDREA.   Pues claro!
Me los dá la señorita,
porque le lleve á su novio
recaditos y cartitas!
RUIZ.   Vamos, te paga en espesies.
ANDREA.   Hoy las muchachas, se pirran
por casarse.
RUIZ.   Pues no veo
la tostada.
ANDREA.   Que eso digas?...
RUIZ.   Casarse es malo, y si duas
vas á juzgar por tí misma.
Tenemos una mujer (Sacando el dedo gordo de la mano
izquierda acompañandole con las yemas de la mano derecha.)
hermosa, jóven y rica, (Idem el índice, el de corazon
y el anular, pero por tiempos.)
que andando en fiestas y dansas,
en bailes y romerías
consigue atrapar un novio,
y dir á la vicaría.
ANDREA.   Y bien?
RUIZ.   Aquí está el mario (Sacando el pulgar.¡
que la engatusa, y la mima,
y la quiere, y la requiebra
y se güerven jaletina;
pero va pasando el tiempo,
y la hermosura se guilla, (Baja el índice.)
la juventud se evapora, (Idem el de corazon.)
y los cuartos se liquían, (Idem el anular.)

Y se encuentra frente á frente
el marío y, la *maría*,
y mardisen de su estampa,
y se arañan y se tiran
los trastos á la cabesa,
y aquí tienes tú la vida.

ANDREA. ¡Mirándola de ese modo!...

RUIZ. Pues así es como se mira.

ANDREA. De manera que en cumpliendo...

RUIZ. Tomo piés pa Andalusía,
y allí me muero de ansiano
pero *selive*.

ANDREA. Maldita
sea la que crea en hombres
y la que en soldados fía.
¡Hacerme perder el tiempo!

RUIZ. ¡No lo perdí yo, chiquilla!

ANDREA. ¿Pero... y perder?...

RUIZ. ¡Qué has perdido!

ANDREA. Ahora dirán las vecinas
que si vino... y que si fué.

RUIZ. No hagas caso, eso es envidia

ANDREA. Hasta nunca. (Váse llorando.)

RUIZ. De verano.
Es lo bueno en la melisia.
En cada pueblo una novia,
en cada acsion una hería,
y en cada hería un recuerdo
de nuestra pátria quería.
¡Viva España y lo flamenco,
y la grasia de Seviya!

ESCENA XI.

RUIZ y AMBROSIO.

D. PED. ¡Adios Ambrosio!

RUIZ. ¡Don Pedro!
¿Qué se trae por estos climas?

D. PED. Vengo ahora de hacer la entrega
de quintos.

RUIZ.   ¡Y qué tal pinta
el negocio!

D. PED.   Así, así.
Tiene quiebras.

RUIZ.   ¿Y palizas?

D. PED.   Padres desagradecidos,
que sin ver que á la familia
trato de hacer un favor,
á veces se encolerizan
y me persiguen... me asedian...

RUIZ.   ¿Y le rompen las costiyas?
Ya lo presencié ayer noche.

D. PED.   Pues por esas fruslerías,
voy á dejar el negocio.

RUIZ.   ¿Hay canguelo?

D. PED.   Se prodria
complicar, y como yo
tengo ya mi pacotilla...
Voy á hacerme propietario

RUIZ.   ¡Ah, vamos!

D. PED.   Una casita
que me dé para ir pasando,
y hacer la vida tranquila.

RUIZ.   ¡Bien hecho!

D. PED.   Hay que descansar.

RUIZ.   —¿Y el de la carpintería,
se arregló?

D. PED.   ¿Antoñuelo? Sí.

RUIZ.   Pues si libre de la quinta
quedó, por ir en su puesto
Pablo... ¿cómo ahora se esplica?

D. PED.   ¡Misterios, amigo Ambrosio!
Como ahora por ir dan guita.

RUIZ.   ¿Y han acsedío sus padres?

D. PED.   Sí.

RUIZ.   Los que tanto gemian...!

D. PED.   Ahí verá usted.

RUIZ.   —Si se ofrese
argo pa Cuba...

D. PEDRO.   Se estima.
Pero á qué vá uste á la Habana?

RUIZ.   Que me tocó la bolilla

negra como mi fortuna,
y para allá mus envian;

D. PEDRO. Pues buena suerte. (Vase.)

RUIZ. Igualmente.
Me paese que este es un quidan...
En fin, á mí qué me importa.
Ya el momento se aproxima
de partir; de frente, marchen.
Adios, Blasa de mi vida;
quisá no volveré á verte,
quisá una bala mardita
me perniquiebre... y... qué diablo,
no está bien que así tú aflijas,
Ambrosio; y si te susede,
y en Ultramar te liqnidan
morirás por tu bandera,
por tu pátria tan querida,
y el que muere por su pátria
en el sielo resusita.
Madrid, te queas sin gente!
Olé por mi personiya! (Vase.)

ESCENA XII.

MARÍA.

Ya pronto deben marchar,
y aquí le voy á esperar
para partir á su lado!
No piense el pobre soldado
que yo le puedo olvidar!
Y pues lo quiere así Dios
el uno del otro en pos,
dicha ó desgracia tendremos,
y ambos felices seremos
ó desgraciados los dos.
Mi pecho amante traspasa
su marcha, y mal que me cuadre,
la paz devuelve á una casa.
Qué veo?, La señá Blasa.

ESCENA XIII.

DICHA y la SEÑÁ BLASA:

BLASA.　　Ah, María!

MARÍA.　　　　　Pobre madre!

BLASA.　　Yo María... estoy cortada
ante tí.

MARÍA.　　　　　Por qué razon?
No sufra usted desazon,
y levante esa mirada.

BLASA.　　Pablo parte!

MARÍA.　　　　　Ya lo sé.

BLASA.　　Va por Antönio.

MARÍA.　　　　　Bien hecho.

BLASA.　　Me odiarás!

MARÍA.　　　　　Con qué derecho?

BLASA.　　Como él es tu novio!...

MARÍA.　　　　　Y qué?
Así al pronto... la verdá...
me hizo daño su partida,
pero...

BLASA.　　　　María querida! (Abrazándola conmovida.)

MARÍA.　　Qué demonio, el volverá!
Además, mirar radiante,
de amante gozo, esa cara,
por mucho que me afectara,
á consolarme es bastante.

BLASA.　　No puedes tú comprender
lo feliz que ahora me siento,
y el horrible sentimiento
al pensar le iba á perder!
Hijo mio! Es mi consuelo!
Mi soló hijo, María!
Y en calma yo no podia
verle marchar de este suelo,
y cuando al fin consentimos,
á ruegos de Pablo... vamos...
aquel y yo le abrazamos
y á besos nos le comimos.

MARÍA. Ahora, lo que es menester,
que Antonio se enmiende!

BLASA.   Así
me lo ha prometido á mí,
y me lo ha jurado ayer!
Dice que trabajará,
que será bueno, obediente
y que ya constantemente
á nuestro lado estará!
Su padre lloró de gozo,
yo era feliz y... qué diablo!
se me olvidó hasta que Pablo
tal vez por él... ¡Pobre mozo!
Nos quiere tanto!...

MARÍA.   Eso sí!
El por ustedes daría
su sangre!

BLASA.   Y á tí, María;
tambien te ama mucho á tí.
Anoche le dijo yo
á mi marido, hay que hacer
un esfuerzo, para ver
de entregarle á Pablo...

MARÍA.   No!
Sé lo que vá usté á decir
y sé que mal le sentara.

BLASA. Mujer, á lo ménos, para...

MARÍA. ¿Quiere usté hacerle sufrir?

BLASA. De más comprendo que accion
cual la suya, no hay dinero
que la pague, pero quiero...

MARÍA. Le basta con la intencion.

BLASA. Más al ménos despedirle...
Eso no ha de incomodarle;
y vengo para abrazarle,
darle un beso y bendecirle!

MARÍA. Su accion así está pagada!

BLASA. Lleva la bendicion mia,
y yo te fio, María
que no ha de pasarle nada

MARÍA. Dios la escuche á usté.

BLASA.   Pues vive

	bien segura...
MARÍA.	Ese es mi anhelo!
BLASA.	Quien dá á una madre consuelo
	de Dios el premio recibe!
	Mas se oye música!
MARÍA.	Sí.
	Son ellos!
BLASA.	Hijos del alma!
	Cuántas familias sin calma!
	Vamos?
MARÍA.	Pasan por aquí.

MÚSICA.

. (Coro de hombres dentro.)

Marchemos, compañeros;
nos llama la nacion,
y sucumbir por ella
es nuestra obligacion!
Adios, madre del alma;
no llores, madre, más,
y reza por el hijo
que á ver no volverás!

ESCENA XIV.

DICHAS y CORO de mujeres: PABLO, ANTONIO, RUIZ y demás quintos
formados en fila y conducidos por sus oficiales. Empieza la marcha
piano en la orquesta, y figura que se va ¡acercando. Coro de mujeres
saliendo.

CORO.	Ya vienen los soldados,
	ya van á la estacion,
	quizá á morir los llevan
	de torpe guerra en pós!
	Llorad las pobres madres
	vuestro hijo ya se vá,
	acaso su familia
	á ver no volverá!

MARÍA.   Ya llegan!
BLASA.   Pobre soldado!
MARÍA.   Allí viene Pablo! Allí!
            Le vé usté, á la izquierda?
BLASA.   Sí!
            Y Antonio viene á su lado!
            Mas, cómo entre filas va?
MARIA.   No sé.
BLASA.   De quinto vestido!
MARÍA.   Como no sᵃ haya vendido!
BLASA.   Dios mio!
MARÍA.   Mas no será!
BLASA.   El es, aunque no me cuadre!
            Hijo, el dolor me aniquila!
ANTONIO.   Madre! (Saliendo de la fila.)
UN OFICIAL: Soldado, á la fila. (Empujándole.)
BLASA.   Hijo del alma!
ANTONIO. (Desapareciendo.)   Adios madre!
(Pablo saluda con el pañuelo á María que le contesta, y va tras
él. Blasa cae desmayada en brazos del coro de mujeres, y el coro
de hombres dentro á compás de la marcha canta los cuatro versos)

Adios madre del alma,
no llores, madre, más, etc.

TELON RÁPIDO.

ACTO SEGUNDO.

Sala baja pobremeute amueblada. Puerta al foro que figura ser la entráda, y otra á la izquierda que conduce al interior de la casa, y ventana á la derecha. Sillas de paja, cesto de costura, mesa de pino, etc., etc.

ESCENA PRIMERA.

MARIA y BLASA.

MÚSICA.

(Se oye tocar dentro la jota del primer acto, pero sin voces.)

HABLADO.

MARIA.	Pobres quintos!
BLASA.	Infelices!
	Siempre igual! Siempre las madres,
	pagando á la ley tributo,
	sin que su llanto constante
	consiga ablandar el pecho
	de los que verterle hacen!
MARÍA.	Señá Blasa, así es el mundo
	y así habremos de dejarle!
BLASA.	Harto lo sé, mas con eso
	no consigo consolarme.
MARÍA.	¿Y quién podrá en esta vida
	decir que no tiene afanes?

BLASA.	Los ricos!
MARÍA.	Como los pobres.
	Todos contamos pesares!
BLASA.	Si ellos los cuentan á cientos,
	nosotros, hija, á millares!
	Al rico nada le falta,
	del rico no duda nadie;
	y si soldados sus hijos,
	al par de los nuestros caen.
	ellos entregan su oro,
	los desvalidos su sangre!
MARÍA.	El dolor la hace á usté injusta:
BLASA.	Quizá razon no te falte;
	pero ya lo vés tu misma;
	mi marido gime exánime
	en el lecho del dolor,
	desde el dia memorable
	en que mi Antonio, ¡hijo ingrato!
	dando un adios á sus padres,
	en pos de mentida suerte
	cruzó el azul de los mares!
MARÍA.	Vamos... demás sabe usted
	que está bueno!
BLASA.	Dios lo sabe!
	Tres correos ya sin carta!
MARÍA.	En guerra... no hay que estrañarse;
	ya vé usted, Pablo tampoco
	escribe...
BLASA.	¡Y crees engañarme
	con tu fingida alegría?
	¿Crees quizá que tu semblante
	tan risueño en mi presencia,
	tan angustiado al dejarme?...
MARÍA.	¿Yo?
BLASA.	No lo niegues, María;
	estás hablando á una madre,
	que al sufrimiento avezada
	conoce el dolor cual nadie!
MARÍA.	Cuando vino Ruiz nos dijo
	que estaban buenos!
BLASA.	Ya hace
	tres meses que vino Ruiz,

	y en ese tiempo…
MARÍA.	No obstante, yo fio en Dios!
BLASA.	Haces bien; en Dios fiar debe un ángel!
MARÍA.	Señá Blasa!…
BLASA.	Sin tu auxilio, sin tu trabajo constante, ¿qué seria de nosotros?
MARÍA.	Que me enfado!…
BLASA.	Ay!
MARÍA.	A callarse! Si yo á su lado de ustedes vivo, y procuro ayudarles en lo poco que yo puedo, no piense usted que es de balde.
BLASA.	María!
MARÍA.	Sola en el mundo, aquí encontré nuevos padres y el afecto que me otorgan no hay oro con qué pagarle!
BLASA.	Hija mia!
MARÍA.	Y á propósito: cómo estamos de caudales?
BLASA.	Aún me queda un duro.
MARÍA.	Vamos, ménos mal!
BLASA.	Hay que pagarle
MARÍA.	al casero.
BLASA.	Qué! No hay prisa. Se le dirá que se aguarde; y además hay que entregar la labor.
BLASA.	¿Ya la acabaste?
MARÍA.	Hace dos horas lo ménos.
BLASA.	Pues si anoche al acostarte empezada estaba apenas… ¿cómo en tan poco..?
MARÍA.	Aplicándome! No podia conciliar el sueño, y dije, qué diantre!

trabajando no se piensa;
me vestí...

BLASA.   · Vas á matarte,
y yo consentir no puedo...

MARIA.   Oiga usted: de lo que paguen
en la tienda, puede usted
traer de paso el jarabe
que el médico mandó anoche.

BLASA.   María, Dios te lo pague.

MARIA.   Ahí tiene usted la receta; (Dándole un papel.)
esta es la labor, y encargue
(Dándole un lio de ropa blanca.)
usté en el comercio, que
para mañana, me guarden
más trabajo.

BLASA.   Eso...

MARIA.   Lo dicho:
que estar así no me place!

BLASA.   Pero hija mía!

MARIA.   Ea, presto:
váyase usted, que ya es tarde.

BLASA.   Aun hay almas generosas!

MARIA.   Adios!

BLASA.   Adios! (Váse.)

MARIA.   ¡Pobre madre!

ESCENA II.

MARIA

Én vano quiero ocultar
mi angustia y triste quebranto,
para no hacerla penar,
cuando indiscreto mi llanto
pugnando está por brotar!
Mes y medio sin tener
noticias suyas ¡Dios mio!
¿Qué les puede suceder!
¿Si fuera acaso desvío?...
Pero no, ¡no puede ser!
De un alma como la suya,

no hay que esperar la traicion,
y aunque la razon arguya,
no es posible que destruya
la fe de mi corazon!
Con pensarlo le ofendí,
y en vano está atormentándome
la duda traidora aquí; (Señalando el corazon.)
si ha muerto, habrá muerto amándome;
vivo, me ama y piensa en mí."

MÚSICA.

De encanto inesplicable
se llena el corazon
cuando recuerda el alma
lo inmenso de su amor.

La muerte mal pudiera
borrar una pasion
nacida con la infancia,
nutrida en el dolor.
Sus dulces miradas,
su mágico acento
me han dado la calma
me han hecho sentir;
dudar no es posible
de su juramento;
y si él sucumbiéra
muriera yo aquí
¡Ah!
Es mi vida, mi tesoro,
el ensueño que yo adoro
mi alegría y mi dolor;
por consuelo de mis males
traen las auras matinales
los suspiros de su amor.

ESCENA III.

HABLADO.

D. Ped.	¿Buenos dias?
María.	¡Buenos dias!
D. Ped.	El recibo. (Presentándole un papel.)
María.	Usted exige?...
D. Ped.	El dinero!
María.	Ya le dije que no...
D. Ped.	Esas son tonterías; pues como yo de esperar hace tiempo estoy cansado, lo tengo determinado, y no me voy sin cobrar!
María.	Es justo.
D. Ped.	Vaya!
María.	Convengo... Mas... como no está en mi mano...
D. Ped.	Pues se busca!
María.	Yo...
D. Ped.	Es muy llano eso de decir ‖no tengo.‖ ¿Acaso se piensa usted que yo la casa adquirí, para que vivan aquí de balde?
María.	¡Oh Dios!
D. Ped.	Pues no á fé. ¿Si nó por qué se mudaban de la casa en que habitaron? De fijo que los echaron porque tampoco pagaban!
María.	De que venga usté á cobrar, no puedo en verdad quejarme; mas que pretenda insultarme, no lo quiero tolerar!

D. PED.   ¿Cómo?

MARÍA.   Si usté es el casero,
desde esa puerta es mi casa,
y quien su dintel traspasa
debe quitarse el sombrero.

D. PED.   ¿Querrá usté enseñarme á mí? (Quitándose el sombrero.)
Pues hombre!

MARÍA.   Enseñarle yo?
A tener dinero, no,
á ser caballero, sí;
y los dos, por suerte ingrata,
acreedores nos llamamos,
porque los dos reclamamos,
yo educacion, usté plata:
y es del caso lo más grave,
qué no termina el enredo,
pues yo pagarle *no puedo*,
y usted pagarme *no sabe*.

D. PED.   Vive Dios!

MARÍA.   Hizo usted mal,
y lo reconoce? Vamos:
quiere decirse que hablamos
ya casi de igual á igual.

D. PED.   Si usted aceptado hubiera
mis ofertas!...

MARÍA.   Hasta aquí,
en contestar consentí
y contestar no debiera.
Mas si lo que ya una vez
le dije, lo juzga poco,
y sigue en su empeño loco
insultando mi honradez,
no he de sufrir más agravios,
y aunque una débil mujer
soy tan sólo, he de saber
cerrar por siempre esos lábios!

D. PED.   Pues basta ya de ficcion
que no hay quien mi intento tuerza.

MARÍA.   Cómo?

D. PED.   De grado, ó por fuerza,
has de pagar mi pasion.

3

MARÍA.	Jamás!
D. PED.	Serás perseguida,
	y siempre fijo en mi idea,
	cuando un dia al fin te vea
	por la miseria rendida,
	cual sobre su presa el tigre
	á tı he de llegar...
MARÍA.	En vano!
D. PED.	¡Oh!
MARÍA.	¿Quién te ha dicho, villano,
	que la miseria denigre?
D. PED.	¿No temes?...
MARÍA.	Su fé no inmola
	quien cumple con su deber.
D. PED.	Sola estás!
MARÍA.	Para vencer,
	la virtud se basta sóla.
D. PED.	Mía has de ser!
MARÍA.	Antes muerta!
D. PED.	¿Me retas acaso!
MARÍA.	Sí.
D. PED.	Desventurada! (Yendo bácia ella.)
RUIZ.	(En la puerta.) Alto ahí!
D. PED.	Maldicion!
MARÍA.	Esa es la puerta! (Señalando la puerta.)

ESCENA IV

DICHOS y RUIZ.

D. PED.	Volveré dentro de un rato,
	cuando esté la señá Blasa!
	Buenas tardes!
RUIZ.	Aliviarse.
MARÍA.	A tiempo fué su llegada.
D. PED.	Con que... repito... (Vase.)
RUIZ.	Er gachó,
	no se andaba por las ramas.
MARÍA.	¿Tuvo usted acaso noticias?...
RUIZ.	Yo venia á ver si hay carta.

MARÍA.   Nada.
RUIZ.   Pues es dia é correo.
MARÍA.   Este silencio me, mata!
RUIZ.   Tentasiones me están dando,
           hoy que salen pa la Habana
           los pistolos, de najarme
           otra vez.
MARÍA.   Ambrosio, no haga
           usted tal majadería!
RUIZ.   Me aburro sin hacer nada.
           Yo anhelaba la lisensia
           pa najarme hácia mi casa
           á cuidar del probe agüelo,
           y ya ve usté mi desgrasia.
           Espichó dos meses antes
           ·de mi venía... ¡Mal haya!
           Ya no tengo en este mundo
           naide, más que la arrastrada
           de la Andrea, que se empeña
           en que ha de llevarme al agua.
MARÍA.   Y acaso no lo merece?
RUIZ.   Eso sí... Más de sien cartas
           me tiene escritas á Cuba;
           y yo siempre, la callada
           por respuesta, y ella dale,
           empeñá en que su soldada,
           se la comiese la Hacienda;
           y se la ha comio, vaya!
MARÍA.   Diga usté, Ruiz, será' fácil
           saber si Pablo se halla
           enfermo?
RUIZ.   Tanto como eso
           no sé... Mas si preguntára
           en el Ministerio, puede
           que nos dijeran si estaba
           herio.
MARÍA.   Dios no lo quiera!
RUIZ.   Pus miste, allí andan las balas
           que dá gusto; los guajiros
           mus arman cada emboscada
           que mete miedo!
MARÍA.   Dios mio!

RUIZ.   Ah, sí señora, sí... y grasias
            que los chicos son mu ternes,
            y al grito de ¡viva España!
            diez, contra dos ó trescientos.
            se les beben como agua,
            que si no... El dia que hisieron
            á Pablo alféres; no es nada,
            tuvimos una faena!
            Santo Dios! qué saragatal
            Y Pablo se portó bien;
            si no es por él me rebanan
            y mus rebanan á todos!
            La cosa estaba amasada,
            de barambuten.
MARÍA.   ¿Y Antonio?
RUIZ.   Tambien anduvo en la salsa,
            y le dieron un gorpaso,
            que á poco lo desbaratan.
MARÍA.   ¿Pero no ha ascendido?
RUIZ.   ¡Quiá!
            No vé usted que siempre anda
            tan triston. No habla con nadie,
            y todos sus camaradas
            le tienen, así, ojerisa;
            y si Pablo no tratara
            de distraerle y de darle
            buenos consejos, ya estaba
            allá con el Pare Eterno.
MARÍA.   ¿De modo que Pablo?...
RUIZ.   ¡Anda!
            Le trata con mucho mimo;
            en verdad que á quién no trata
            él con mimo. Que; es mas güeno
            que el pan. ¡Así le idolatran!
            Pa que á él le lleguen ar pelo
            siquiera, en una batalla,
            es necesario que estén,
            todos tumbaos á la larga.
            Valiente, como el primero;
            sagás, como el que más haya;
            honrao, como denguno;
            y con saber y con labia,

	anda siempre entre los jefes
	que le quieren y le llaman,
	y le consultan y... vamos...
	que es el tal Pablo una alhaja!
MARIA.	Me enorgullezco de oirle
	contar así su alabanza.
RUIZ.	¡Yo le quiero como á un padre!
	Así es que al darme la carta
	para ustedes, y desirme
	que frecuentase esta casa,
	tuve un plaser en servirle;
	y si rodar me mandára,
	me estaba rodando un año
	hasta que él dijera: basta.
MARIA.	¿Tiene usted prisa?
RUIZ.	Denguna!
MARIA.	Pues si quieré en esta sala
	quedarse, mientras yo voy
	á saber cómo se halla
	el señor Juan...
RUIZ.	Usted mande
	como quiera.
MARIA.	Muchas gracias! Váse.)
RUIZ.	Pus hombre güeno estaría..!
	Vale esta chica más plata..!

ESCENA VI.

RUIZ.

Aunque nunca el santo yugo
me giso á mí mucha grasia,
en dando con una mosa
como esta, me empadronaba
en el barrio de San Márcos
antes de cuatro semanas.
Y eso que son las mujeres...
várgame la Vírgen santa!
Hasta ase poco podia
hablar sólo de las blancas;

más desde que estuve en Cuba,
conosco ya toa la rasa
de negras, verdes, pajisas,
cuarteronas y mulatas!
Y que no son mu dengosas
las morenitas... mi alma!
Con aquel hablar tan dulse,
andando ansina... qué guasa!
"Niño, no me digas eso!"
"Ay niño, toma guayaba!"
Queria argo más er niño?
Y aluego, aquellas sancadas
pa bailar... Es nesesario
confesar que tienen grasia!

MÚSICA.

Entre aqueyos semblantes cobrisos,
y el modito dengoso de hablar,
se codisian aun más los hechisos
que nos roba, traidora, la mar.
Y en las brisas que ahuyentan la bruma,
á la par que se alejan de ayí,
rebotando del agua en la espuma,
un suspiro mandamos aquí.
    Porque aqueya tierra
    que derrite er sol,
    no es ni en paz ni en guerra
    para un español.
    Nuestra sangre ardiente
    se requema ayí
    cuando aqueya gente
    dá en hablar así:
"Niño banco, estése quieto.
"Ay, qué jase usté, señó!
"No me falte usté al respeto,
"poique nega sea yo.
"Sálgase de ente las caña,
"que si viene é mayorá,
"vá pensá que usté me engaña,
"y me pué regañá.

«Yo tengo un guagiro,
«que es de este país,
«y á banco no miro,
«que quiero á un mambis.
«Ay, niño, que guito
«si güelve á jugá,
«y aquí mi neguito
«le puede guindá.»
Porque aqueya tierra, etc.
Ay, Jesú, qué guasa;
ven aquí símarron
que no sé qué me dá
cuando serca no está!
Chinitico yo tiene pa tí un duse má sabroso
que mango y que la piña.
Santo Dios, qué país!
Es aquello la mar;
si me dan para un güey,
yo no güelvo ayí más.

HABLADO.

Yo andaba siempre escamao,
temiendo que me tisnaran.
Dempués, echan un olor
que lo tira á uno de espaldas;
por lo cuál he desidido,
aunque las blancas son malas,
dejar en blanco á las negras,
y dedicarme á las blancas!

ESCENA VII.

DICHO y ANDREA.

ANDREA.   Ola, Ambrosio!
RUIZ.   (Esta es más negra!)
           Qué diablos traes por aquí?
ANDREA.   No te alegra verme?
RUIZ.   Sí.
           Ya lo creo que me alegra!

Mas no estaba preparao,
y no te esperaba ver
hasta luego.

ANDREA.

Has de saber
que me he desacomodao.

RUIZ. Muchacha!

ANDREA.

Estaba ya frita
de sufrir y de callar,
y acabo de regañar...

RUIZ. Con quién?

ANDREA.

Con la señorita.
Tiene un génio, uy qué mujer!

RUIZ. Y esa es la recien casada?

ANDREA. Sí.

RUIZ.

Pus la cosá me agrada!
Si se casó antes de ayer,
y ya parece un demonio,
qué hará al año? Jesucristo!
Nada, la mia: está visto,
que es mú malo el matrimonio

ANDREA. Y vuelta!

RUIZ.

Pero tú sabes
lo que es casarse?

ANDREA.

De sobra!

RUIZ

Pus es una maniobra,
chiquiya, de las más graves!
Pa esa desgracia no hay nombre,
y es, créemelo de verdá,
la mayor calamidá
que puede pasarle á un hombre!
Contra una muerte, hay pasencia;
contra un toro, huir el bulto,
contra el presidio, el indulto;
contra servir, la lisensia:
contra un insendio, agua vá;
contra un pesao, un bufío;
pero contra ser marío...
no hay más... que la eternía!
Y se ven tódos los dias,
á sientos las hijas de Eva,
que están frabicás á prueba
de tifus y pulmonías;

y no pienses que deliro,
que no cabe en esto duda;
¿qué hace un hombre que no enviuda?
¡Matarla ú pegarse un tiro!
Con que mira tú si es sério,
estando visto y probao,
que el porvenir del casao
se sifra en el sementerio.

ANDREA. Segun, eso ¿has decidido
no casarte?

RUIZ. Te diré:
acaso me casaré,
más nunca seré marío:

ANDREA. ¡No entiendo!

RUIZ. Quiero decir,
y sírvate esto de aviso,
que mi mujer sin permiso
no podrá entrar ni salir.
Que á la menor distraccion
llevará su correctivo,
y el más pequeño motivo
le costará un coscorron.
Y pa mayor confiansa,
si llega el caso, he de haser
que se aprenda mi mujer,
una espesie de ordenansa.

ANDREA. ¡Militar?

RUIZ. U cosa así.

ANDREA. ¡Y qué?

RUIZ. Que acaso te pene.

ANDREA. ¡Quiá!

RUIZ. Por si no te conviene.
escucha.

ANDREA. Venga de ahí!

MÚSICA.

RUIZ. En oyendo la diana
se tendrá que levantar,
y al tocar á provisiones
la menestra irá á buscar.

ANDREA.   Ta ra ra   ra ra ra
               ta ra ra   ra ra ra ra
RUIZ.   Cuando escuche el toque á rancho
               listo el rancho ha de tener;
               y en sonando la retreta
               ha de estar en el cuartel.
ANDREA,   Te te te   te te te
               te te te   te te te.
RUIZ.   Si mando silencio
               callada estará
               y á paso ligero
               se habrá de.najar.
ANDREA.   Y si un dia falta
               á la sumision?
RUIZ.   La dejo arrestada
               en la prevencion.

               Que el marío nunca debe
               ser un buen Juan
               sujetando su costilla
               al rataplan.
               Y si falta á la ordenansa
               sin más ni más
               diez carreras de baquetas
               debe yevar.
               Este es mi plan
               y dependen tus costillas
               del rataplan.
ANDREA.   Un marido no conviene
               siendo un buen Juan,
               mas estar no quiero
               al rataplan.
               Obediente á tus mandatos
               tú me verás,
               y carreras de baquetas
               no he de llevar
               Bonito plan.
               Mas no me causa miedo
               tu rataplan.

RUIZ.   Mi casa será un cuartel
de régimen mu severo,
y mi mujer el ranchero...
ANDREA.   Ambrosio!
RUIZ.   Y yo el coronel!
Conque... ¿te conviene?
ANDREA.   Sí.
RUIZ.   Conformes!
ANDREA.   A la mujer
que cumple con su deber,
le es todo igual.
RUIZ.   Toca ahí. (Presentándole la mano)
Y una vez que estás parada,
aquí te puedes quedar,
y de ese modo ayudar
á esta familia.
ANDREA.   Me agrada!
RUIZ.   Mientras voy yo en un instante
al Menisterio á saber
si Pablo....
ANDREA.   ¿Piensas volver?
RUIZ.   Vaya, es negocio apremiante!
Con que lo dicho, y ser fiel!
ANDREA.   Ya sabes tú que te quiero.
RUIZ.   Pues ojo al parche, ranchero! (Váse foro)
ANDREA.   Á la órden mi coronel! (Cuadrándose)

ESCENA VIII.

ANDREA y enseguida BLASA.

Por más que lo disimule,
lo que es quererme me quiere;
pero tiene un génio, así...
tan raro, que muchas veces
me pone desesperada...

En fin, con tal que se enmiende...

BLASA. Ya estoy aquí. (Entrando por el foro)

ANDREA. Señá Blasa!

BLASA. Calla! ¿Tú aquí?

ANDREA. Aquí me tiene
usté, á su disposicion.

BLASA. Como otros dias no vienes
hasta más tarde.

ANDREA. Pues hoy,
aquí estoy ya con ustedes,
que vengo á ayudarles.

BLASA. ¿Cómo?

ANDREA. He regañáo con mi gente
y estoy desacomodada.

BLASA. Vamos, lo mismo de siempre,
Dentro de dos dias, vuelta
á entrar otra vez.

ANDREA. No piense
usted tal cosa!

BLASA. ¿Es tan grave
el motivo?

ANDREA. No; pero ese
se ablandó al fin, y me caso.

BLASA. ¿Con Ruiz?

ANDREA. Si señora!

BLASA. Puede?

ANDREA. Y mientras los pasos se andan
y se arreglan los papeles,
con ustedes pienso estarme,
si es que no hay inconveniente.

BLASA. Ninguno, y sea enhorabuena!

ANDREA. Señá Blasa, se agradece!

BLASA. Dichosa tú que al fin logras
lo que há tanto tiempo quieres:
yo en cambio, nunca consigo
que Dios escuche mis preces!
¡Pobre hijo! Sin carta suya
hace cerca de dos meses!

ANDREA. Hoy van para allá los mozos
de esta quinta!

BLASA. Más quisiese
no saberlo: los he visto

por esa calle de enfrente,
y el corazon se me ha puesto
como un piñon!

ANDREA.   Al vejete,
al nieto de la tia Rosa,
tambien le tocó la suerte,
y á Joaquin y á Sebastian
y á Pedro el del señor Pepe...

BLASA.   Cállate, calla!

ANDREA.   Es verdá!
Señá Blasa, usté dispense!

BLASA.   Si su dolor es tán grande
como el mio... ¡pobres gentes!

ANDREA.   Ea, déme usted que hacer
algo, para entretenerme!

BLASA.   Yo no sé... Tal vez María
tenga labor... Ay!

ANDREA.   No piense
usted más en ello... Vaya!...

BLASA.   Andrea, ojalá pudiese!

ANDREA.   Yo tengo la culpa!

BLASA.   No.
esa es mi idea perenne!

ANDREA.   Pues voy á ver si María
quiere ocuparme.

BLASA.   Bien, vete
para dentro.

ANDREA.   (El regocijo
siempre ha de ser imprudente.) (Vase)

ESCENA IX.

BLASA y en seguida D. PEDRO.

·BLASA,   Y tras la falta de calma,
la carencia de intereses!
No me han pagado en la tienda
por no haber mas que billetes;
y mi pobre Juan, baldado,
sufre en silencio y padece,
sin tomar la medicina

con que aliviarse pudiere!
A tan redoblados golpes,
quién no sucumbe?

D. PED.   Se puede? (Desde el foro.)
BLASA.   (El casero.)
D. PED.   Antes estuve
á ver á usted!...
BLASA.   Salí un breve
momento.
D. PED.   Hablé con María!
BLASA.   Pues ya sabe usted...
D. PED.   .   Que tienen
ustedes la manga ancha,
y no hay calma que tolere
estos abusos!
BLASA.   Don Pedro!
D. PED.   Debiendome están dos meses,
y por ser considerado
estos perjuicios me vienen.
Si al primer mes los 'hubiera
puesto en la calle...
BLASA.   Se deben,
contra nuestra voluntad!
Ay, si mi Juan no estuviese
clavado en la cama, nunca
tales cosas me dijesen;
pero, enfermo mi marido,
y mi único hijo ausente,
don Pedro, qué quiere usted
que hagan dos pobres mujeres?
D. PED.   Yo no entiendo de esas cosas:
sólo quiero que solventen
la deuda!
BLASA.   ¿Y cómo?
D. PED.   Pagando!
O si no, en un periquete
mando que pongan los tratos
en la calle.
BLASA.   Qué?
D. PED.   Esta gente
se figura que uno es tonto!
BLASA.   Pero, ¿y mi Juan?

D. Ped.	Que lo lleven
	al hospital!
Blasa	Eso nunca!
D. Ped.	Pues pronto hay que resolverse:
	ó el dinero ó á la calle.

ESCENA X.

Dichos, Ruiz y luego Maria.

Ruiz.	¿Cómo á la calle?
Blasa.	Ruiz!
Ruiz.	Puede
	que tuviera usted valor...
D. Ped.	Sí, señor.
Ruiz.	Cuánto se debe?
D. Ped.	Dos meses!
Ruiz.	Que son?...
D. Ped.	Diez duros.
Blasa.	Qué vá usté á hacer?
Ruiz.	Ahí los tiene.

(Ruiz sacando algunas monedas del bolsillo y dándoselas.)

Blasa.	Yo no consiento!...
Ruiz.	Y el dia
	que entre usté en esta casa
	de malos modos, de un tute
	le voy á usté á poner verde.
D. Ped.	Poco á poco!
Ruiz.	Ya está dicho.
	So tuno!
D. Ped.	Qué?
Ruiz.	So pillete!
	Por causa de usté fué Antonio
	á Cuba!
Blasa.	Mi hijo?
Ruiz.	Por ese
	bandido están muchas madres
	en la miseria, muriéndose;
	y aún presume de persona

y se las echa de terne,
cuando solo tiene génio
para insultar á mujeres!

D. PED. Yo juro...

RUIZ. Tome usté el tole
y dé el resibo que tiene,
porque es usté mu capás
de reclamarlo dos veses?

D. PED. (Dando el recibo) Esa ofensa...

RUIZ. Se va osté?

D. PED. Es que yo...

RUIZ. Voy á romperle
el bautismo. (Cogiendo una silla.)

BLASA. Ruiz! (Deteniéndole.)

MARIA. Ambrosio! (Saliendo.)

D. PED. (Con este hombre no se pueden
gastar bromas.)

MARÍA. Salga usted!

D. PED. Estoy á los piés de ustedes. (Váse foro)

ESCENA XI.

DICHOS menos DON PEDRO.

BLASA. Ah! Ruiz, mucho estimo á usted
lo que ha hecho, pero pagar....

RUIZ. Señora, ¿quié usté callar?

MARÍA. Cómo, ¿ha pagado?

BLASA. Sí.

RUIZ. ¿Y qué?
Teniendo tresientos duros
en mi bolsillo guardaos,
y estando ustés apuraos,
¿no he de sacarlos de apuros?
Yo no sabré hablar mu bien,
ni entiendo de gerigonsa...
pero en teniendo una onsa,
la tienen ustés tambien.

BLASA. Gracias, Ruiz!

MARÍA.   ¿Mi comision
                    olvidó?
RUIZ.   No siertamente,
                    pero siento... francamente,
                    darla á osté una desason.
MARÍA.   Pues, ¿qué hay, Ambrosio?
RUIZ.   Es mu sério!
BLASA.   Virgen santa!
MARÍA.   Por favor!
RUIZ.   A mí me ha entrao un temblor!...
MARÍA.   Ay de mí!
RUIZ.   En el Menisterio
                    he averiguado.
BLASA.   ¿El qué?
MARÍA.   ¡Hable usted pronto!
RUIZ.   ¡He sabío
                    que Pablo... se encuentra herío!
MARÍA.   Jesús!!
BLASA.   ¿Y Antonio?
RUIZ.   No sé.
RUIZ.   Mas no afligirse. ¡Qué gracia!
                    (Hay que dirlas preparando.)
                    Porque si vienen...
MARÍA.   ¡Eh!
BLASA.   ¿Cuando?
RUIZ.   (Aquí de mi diplomacia.)
                    Quien sabe...
MARÍA.   ¡Ruiz!
BLASA.   ¡Hable usted!
MARÍA.   ¿Eso es que vienen?
RUIZ.   ¡Pues sí!
BLASA.   ¡Dios mio!
RUIZ.   Y están ahí.
MARÍA.   ¡Qué alegría!
RUIZ.   ¡La solté!
BLASA.   ¿Pero los dos?
RUIZ.   ¡Sí!
MARÍA.   ¡Los dos?
RUIZ   Antonio! Pablo! Qué diablo. (Llamándoles.)
PABLO.   María!! (Saliendo.)
ANTONIO.   Madre!! (Idem)
BLASA.   (Corriendo hácia Antonio.) Hijo.!

MARÍA.	(Idem hácia Pablo.) Pablo!!
BLASA.	Bendito! bendito Dios!
MARÍA.	No estás herido?
BLASA.	Hijo! (Abrazándole.)
PABLO.	Sí.
MARÍA.	Ah!
RUIZ.	Mi alférez!
PABLO.	A esa herida,

se debe nuestra venida.
Vengo á reponerme aquí.

BLASA.	Mi Pablo! (Abrazándole.)
PABLO.	Hecho un veterano

le traigo. (Señalando á Antonio.)

RUIZ.	Güen continente!
PABLO.	Le he nombrado mi asistente!
ANTONIO.	Me trata como á un hermano.

¿Y padre?

BLASA.	Baldado!
ANTONIO.	Ah!

Mi marcha la culpa fué.

ANDREA.	(Saliendo.) Ya vienen!
RUIZ.	Andrea! (Reprendiéndole.)
MARÍA.	Qué?
ANDREA.	Los quintos que vienen ya!
BLASA.	Cual ellos tambien partiste

y el alma me desgarraste!

MARÍA.	Y hoy en cambio, qué contraste!

aquí alegres, allí tristes (Señalando á la calle.)

PABLO.	Un santo deber entraña.

eso que tanto os aterra!
y si hay en España guerra,
justo es morir por España.

BLASA.	No así mi pecho taladres!
PABLO.	La ley lo manda!
BLASA.	Ley fiera!

¿Y el desgraciado que muera?

PABLO.	Cumple la ley!
BLASA.	¡¡Pobres madres!!
RUIZ.	Por eso yo juro aquí,

y naide mi empeño trunca,
que no he de ser madre nunca.

ANDREA.	Y padre?

RUIZ.   Puede que sí.
            Cásense Pablo y María
            que anque es peliagudo el paso,
            yo con mi Andrea me caso.
ANDREA.   Al fin salí con la mia.
            Y una vez que de la guerra
            ha terminado la saña,
            choca, Ambrosio, y viva España!
RUIZ.   Y Sevilla que es mi tierra.

Amen en la orquesta y telon.

Milton Keynes UK
Ingram Content Group UK Ltd.
UKHW010637290424
441924UK00005B/354

ECUADOR TRAVEL GUIDE 2023:

Experience the Magic of Ecuador with Insider Tips and Must-See Destinations. A Definitive Guidebook for 2023 Travel

By: Melissa J. Norman